Sigismund von Gleich

Über die Wirkung der Tonarten in der Musik

J. Ch. Mellinger Verlag Stuttgart

ISBN 3-88069-291-2
2. Auflage 2005

Gesamtherstellung: Druckservice Viener, Vimperk, Tschechien

Inhalt

Vorwort

Diese Schrift ist gedacht als eine kurze Einführung in ein Gebiet der Musikbetrachtung, das heutzutage noch weitgehend schlummert: Ein tieferes Verständnis für die Wirkungskraft der Tonarten.

Was für Musikästhetiker der Goethezeit noch eine Gewißheit war, nämlich die Berechtigung einer Tonartenpsychologie, ist später nach und nach verlorengegangen. Widerspiegelten etwa die vielen Auflagen des Musik-Lexikons von Hugo Riemann noch dieses ursprüngliche Wissen (Stichwort: Charakter der Tonarten), in den beiden führenden Musikenzyklopädien der heutigen Zeit, *Die Musik in Geschichte und Gegenwart* sowie *The New Grove Dictionary*, wird dieses Thema nicht mehr behandelt.

Da sich nun, nach der großen Atonalitätswelle, bei manchen Komponisten der jüngsten Generation ein erneutes Streben nach Tonartenbeziehungen bemerkbar macht, gewinnt die Frage nach der inneren Bedeutung der Tonarten wieder an Aktualität. Eine Auseinandersetzung mit dem geistigen Kräftespiel der Tonarten braucht sich nicht auf die Musik der Vergangenheit zu beschränken. Sie kann auch für die Entwicklung zukünftiger Musik fruchtbar sein.

Die vorliegende Studie meines Vaters († 1953) stammt aus dem Jahre 1950 und war ursprünglich in holländischer Sprache verfaßt. Für eine spätere Auflage (1984) schrieb ich ein ergänzendes Kapitel über die Molltonarten.

Dem Mellinger Verlag gebührt Dank, daß diese Tonartenbetrachtung nun, in wiederum erweiterter Form, auch für einen deutschprachigen Leserkreis zugänglich ist.

Den Haag, Februar 1993 Dr. Clemens-Christoph von Gleich

Charakterzüge der zwölf Tonarten

Eine goetheanistische Skizze

Sowohl im ersten wie im zweiten Teil seines „Wohltemperierten Klaviers“ durchläuft Johann Sebastian Bach bekanntlich alle vierundzwanzig Tonarten. Die Frage, ob die Tonartenwahl für die einzelnen Präludien und Fugen dieses monumentalen Werkes eine zufällige war, oder ob sie auf gewissen Einsichten fußte, beantwortet Hans Brandts Buys, ein führender niederländischer Bachspezialist, in einer Weise, welche die Pforte für eine Anerkennung des Eigenwesens der Tonarten weit offenläßt. Er führt aus:

„Nähmen wir an, daß Bach tatsächlich jeder Tonart eine eigene Tönung zuspräche, so müßten bei einem Vergleich des ersten und des zweiten Teiles die übereinstimmenden Tonarten jeweils die gleiche Tönung, sei es eventuell in einer anderen Nuance, aufweisen. Meines Erachtens ist das in der Tat der Fall. Am auffälligsten ist dies z. B. bei den Fugen in Cis-dur, D-dur, dis-moll, e-moll, Fis-dur, fis-moll (bei letzterer Tonart in beiden Fugenthemen überdies eine viermalige rhythmische Stockung), G-dur, g-moll, As-dur, A-dur, a-moll und B-dur; bei den Präludien in c-moll, e-moll, Fis-dur, fis-moll, As-dur, gis-moll und H-dur; ebenso bei dem Präludium in E-dur (I) im Vergleich zur Fuge in E-dur (II). Bei näherer Betrachtung wird man sogar bemerken, daß sich die Ähnlichkeit nicht nur auf die Stimmung beschränkt, sondern daß auch analoge Satzwendungen und Motive vorkommen. Wenn es auch keine Belege dafür gibt, daß Bach in dem Wohltemperierten Klavier bewußt eine Tonartencharakteristik anwandte, so sind doch auffällige Fakten zu nennen, die darauf hinweisen könnten, genug, um eine solche Auffassung zu begründen.“[1]

Wem bekannt ist, in welcher Weise Goethe und manche seiner genialen Zeitgenossen und Geistesverwandten das Qualitative und Wesentliche der Farben zu ergründen wußten, und wer weiß, wie die Geistesart dieser Gruppe Menschen das seltene Vermögen besaß, durch die äußeren Erscheinungen hindurch zur Erkenntnis des verborgenen Geisteswesens vorzustoßen, darf durchaus voraussetzen, daß damals auch versucht wurde, in ähnlicher Weise in das Reich der Klänge einzudringen und manches auszusagen über das Wesen der Intervalle und Tonarten, die in mathematischer, das heißt quantitativer Hinsicht längst gründlich untersucht worden waren.

Auf der Suche nach qualitativen Betrachtungen fand ich alsbald Zeitgenossen Goethes oder Erben des Goetheanismus, die, als äthetisch orientierte Philosophen, Dichter oder Musiker tatsächlich einen gewissen Sinn für die Charakterzüge der Tonarten hatten. So wie Goethe in seinem *Entwurf einer Farbenlehre*, in dem entscheidenden Kapitel über die „sinnlich-sittliche Wirkung der Farbe" deren Wesen zu charakterisieren suchte, haben seine Zeitgenossen die „sinnlich-sittlichen Wirkungen der Töne" und damit die psychischen und geistigen Qualitäten der Tonarten zu beschreiben versucht in ihren vielfältigen Auswirkungen auf die menschliche Seele.

Wir nennen nur die wichtigsten Ästhetiker der Tonkunst: Chr. Fr. Daniel Schubart (1739 – 1791), also ein Zeitgenosse Lessings und Haydns. Dann zwei Zeitgenossen und Geistesverwandte des Philosophen Friedrich Schelling: Peter J. Schneider (um 1835) und Ferdinand Hand (1786 – 1851), schließlich Adolf Bernhard Marx (1795 – 1866) und Gustav Schilling (1803 – 1881), die zwar nicht mehr Goethes Zeitgenossen, doch Erben des goetheanistischen Geistesgutes waren. Am Ende des 19. Jahrhunderts, als von der Spiritualität des Goetheanismus fast nichts mehr übriggeblieben war, zeigte sich Richard Hennig bereits nicht mehr imstande, dieses Gebiet in fruchtbarer Weise zu erarbeiten. Seine Charakteristik der Tonarten (1897) war dennoch für die vorliegende Studie ein wertvoller Ausgangspunkt. Bei näherer Betrachtung stimmen die Ergebnisse anderer Autoren in bezug auf die Gefühlswerte der Tonarten nämlich weit mehr überein, als bei Hennig in Erscheinung tritt. Was manche Tonarten anbelangt ist die Übereinstimmung sogar absolut überzeugend, obwohl auf diesem Gebiet bisher nur die ersten, zögernden Schritte gesetzt werden konnten. Unsere diesbezüglichen Geistsorgane verkehren heute noch in einem „schlummernden Zustand."

Gustav Schilling stützt sich in seinem *Versuch einer Philosophie des Schönen in der Musik* gänzlich auf die tiefsinnig-spirituelle Weltanschauung Friedrich Schellings. Auf dem Gebiet der Tonarten faßte er in diesem Werk, übrigens nicht ohne selbständige Ansichten, dasjenige zusammen, was seine Vorgänger herangetragen hatten, und formulierte somit die ausführlichste Charakteristik aller 24 Tonarten.

Adolf Bernhard Marx war ein vielseitig entwickelter Gelehrter, Professor der Musik in Berlin und Musikdirektor an der dortigen Universität. Seine Kompositionslehre war jahrzehntelang ein vielbenütztes Standardwerk, seine Allgemeine Musiklehre erlebte zehn Auflagen. Besonders viel leistete Marx für ein tieferes Verständnis der Musik Beethovens und Glucks. Als Einführung, zu einer Erkenntnis der Tonartenqualitäten möge hier erst auszugsweise eine Charakterisierung der zwölf Durtonarten folgen, die Marx 1863 in seinem Buch über *Gluck und die Oper* veröffentlichte.[2]

„Setzen wir nun irgend einen Ton als Ausgangspunkt für die zwei Reihen der je höhern und der je tiefern Töne fest – es sei der Ton C – so stellt sich folgende Tonfolge

			Erniedrigungen				Erhöhungen					
6	5	4	3	2	1	0	1	2	3	4	5	6
Ges	Des	As	Es	B	F	C	G	D	A	E	H	Fis

in Quinten auf, die jedem Musiker schon aus der Errichtung des Quintenzirkels geläufig ist. Von C nach der Höhe stellen sich Schritt für Schritt die Tonarten mit Erhöhungen auf; von C nach der Tiefe ebenso die Tonarten mit Erniedrigungen; zwischen beiden Reihen steht C, ohne Erhöhung und Erniedrigung.

Man kann die Reihe der Erhöhungen mit +, die der Erniedrigungen mit –, den weder an Erhöhungen noch Erniedrigungen teilhabenden Mittelton C mit 0 bezeichnen.

Diese mit – 0 + bezeichnete Folge von Tönen oder vielmehr der auf ihnen als ihren Toniken beruhenden Tonarten (und zwar Durtonarten) enthält einen förmlichen *polaren Gegensatz* der schrittweise nach der Höhe, und der ebenso nach der Tiefe strebenden Tonarten, mit ihrem *Indifferenzpunkt* in der Mitte.

Auf der Plusseite herrscht die wachsende Erregung, auf der Minusseite die nachlassende Erregung. Erinnern wir uns nun, daß Höhe und Tiefe im Tonwesen der Ausdruck für die größere oder mindere Schnelligkeit der Schwingungen sind: so dürfen wir allerdings wagen, die Plusseite im Tonreich als Licht- oder Tagseite, die Minusseite als Schatten- oder Nachtseite zu bezeichnen. Wie Licht und Schatten, Tag und Nacht, Wärme und Kälte, so stehen die beiden Seiten der tonischen (Tonarten-)Entwickelung einander gegenüber. Und wie Licht und Wärme sich stufenweise steigern und herabstimmen, gerade so (mit zwei Ausnahmen) steigt und sinkt in der Tonreihe der Charakter des Lichts und der Wärme.

Bedenklich scheint mir bei der oben aufgestellten Reihe, daß die Plusseite mit Fis-dur, die Minusseite mit Ges-dur schließt, beide Tonarten aber, hier als äußerste Gegensätze aufgestellt, identisch, enharmonisch ein und dieselbe Tonart sind. Es läßt sich mehr als eine Betrachtung hier anknüpfen. Wir wollen, statt allzuweit zu gehen, nur darauf hinweisen, daß das zweifelhafte und deshalb unsichere oder unfeste Wesen der Tonart Fis-Ges-dur auch bei den Komponisten von Charakter zur Anschauung gekommen ist; man frage bei Joh. Seb. Bachs Fis-dur Fuge im Wohltemperierten Klavier

und Beethovens Fis-dur Sonate (Op. 78) nach.

Auffallend ist ferner in beiden Reihen ein Rückschritt auf dem dritten Punkte; die Lichtseite

0	1	2	3	4	5	6
C	G	D	A	E	H	Fis

steigert sich von 0 zu 1 zu 2, ferner von 4 zu 5 zu 6; die Schatten senken sich auf der andern Seite

6	5	4	3	2	1	0
Ges	Des	As	Es	B	F	C

von 0 zu 1 zu 2, ferner von 4 zu 5 zu 6; aber die *Drei* erscheint auf der Lichtseite (A-dur) in gemildertem Lichte, auf der Schattenseite (Es-dur) in angewärmterm Schatten. Am empfindbarsten wird die Abweichung im nächsten Fortschritte: E-dur erglänzt in überraschender, nach dem Stufenmaße nicht zu erwartender Helle, As-dur ist tiefer in Nachtdunkel und Kälte gesunken, als man vom zweiten Schritte nach B-dur hätte erwarten dürfen.

Zu erklären vermögen wir diese Erscheinungen nicht, wir können uns darüber nur auf das unmittelbare Empfinden und die Erfahrung in den Kompositionen, also auf Anschauung und Empfindung der Komponisten berufen.

Der bedenklichste Schritt bleibt noch zu tun: die genaue Charakterbestimmung der einzelnen Durtöne. Das progressive Höher oder Tiefer, Heller und Wärmer oder Dunkler und Kälter kann als ein nicht zu verachtender Schritt zur Erkenntnis gelten, erschöpft aber die Sache keineswegs. Vielmehr tritt jeder Durton als ein besonderer, nicht bloß quantitativ von andern Tönen unterschiedener in das Bewußtsein des Komponisten oder des Hörenden.

Müssen wir endlich an die Charakteristik der einzelnen Tonarten gehen, so tritt die große Schwierigkeit erst ganz grell hervor, für künstlerische Anschauungen vollkommen exakten Ausdruck zu finden. Wir müßten wohl statt Schwierigkeit Unmöglichkeit sagen; denn die künstlerische Anschauung ist schwebender Natur, sie verbreitet sich gleich Schimmer und Hall über jede scharfe Grenzlinie, die man da oder dort ziehen möchte, gleich den Kometen, die von einem festen Kern aus einen unbestimmbar weiten Lichtschweif auszuströmen scheinen. Es mag gelingen, den Kern künstlerischer Anschauungen zu bezeichnen, feste Umrisse nimmermehr.

Naturgemäß beginnen wir bei dem Ausgangs- und Mittelpunkte der Tonarten, bei *C-dur*. Es steht zwischen den Erhöhungs- und Erniedrigungstonarten, es ist indifferent, gleich fern von der wachsenden Entzündung der Kreuztöne als von den allmählich sich niedersenkenden kühlern Schatten der B-Töne, klar wie der helle Tag, aber ohne Sonnenglanz, heiter, aber ohne Teilnahme.

Man nehme die große C-dur Sonate (Op. 53) von Beethoven zur Hand; nur daß diese sich mit dem Seitensatze zur sonnigen Höhe von E-dur erhebt – die normale Tonart G-dur konnte Beethovens warmes und frei umherschauendes Gemüt hier nicht befriedigen. Man blicke auf Mozarts heitere, nicht tiefe C-dur Symphonie,[3] oder auf die helle Festlichkeit, in der Beethoven seine erste Symphonie anstimmte.

An C-dur schließt sich nach der Plusseite *G-dur,* angehellt und angewärmt, wie von der emportauchenden Sonne der junge Tag, wie die Jugendzeit bei dem ersten fröhlichen Ausschau in das beginnende Leben, kindlich froh, noch von den Gluten der Leidenschaft unberührt, der Gleichgültigkeit des indifferenten C-dur enthoben. C-dur ist ihm Tonart der Unterdominante, der Modulationspunkt, wo es ausruht, sich erfrischt, neuen Atem nimmt; in seiner Oberdominante richtet es sich zu wärmerer Empfindung der erwachsenden Jugend auf. Man frage bei allen G-dur-Sonaten Beethovens nach.[4]

In *D-dur* ist Licht und Wärme zu kräftigem Walten gereift, wie warmes und kräftiges Verlangen in der Brust des Jünglings. D-dur ist zunächst aktiv herausgreifend, kriegerisch, es ist die Tonart der Geigen, der scharfhellen D-Hörner und Trompeten, die sich von der Härtigkeit und Kälte der C- und tiefen B-Hörner ebenso deutlich absondern, wie von der schattigen Weiche der Es-Hörner und –Trompeten, die nur im Frieden und der Heruntermäßigung des ewigen Paradespielens ihre Stimmung bei der Armee haben durchsetzen können.

Spontini, der Napoleonide, hat fast alle seine Ouvertüren in D-dur gesetzt; der Grundton des Militärischen trug es unbesehens über den der Opern davon. Auch seine Liebesgesänge folgen diesem Zuge; die französische Liebe ist vor allem aktiv und liebt den Glanz vor der Schwärmerei.

Die dritte Tonart *A-dur* folgt warm und hell, aber in gesänftigter Ausstrahlung; selbst die mächtigste Komposition dieses Tons, Beethovens siebente Symphonie, gibt von diesem Charakter Kunde, während die A-dur-Sonate Op. 101 geradezu die Apotheose dieser Tonart genannt werden darf.

Funkelnd hell steigt mit durchgreifender Wärme *E-dur* empor, heiter und leuchtend wie lauteres Gold. Noch ist ihm in keiner Komposition vollgenügender Ausdruck geworden, auch in der Fidelio-Ouvertüre bei weitem nicht. Wenn einmal in einer künftigen Oper Otto der Dritte in Rom die Kaiserkrone neu auf seinem jugentlichen Haupte befestigt, könnte nur E-dur in seiner heitern Sonnenpracht erschallen.

Nach ihm folgt das heiße *H-dur*, in dem Beethoven sein Schlachtbild[5] gemalt, und das gleißende *Fis-dur*, von dem oben ein Wort gesagt worden.

Ebenfalls schließt nach der Minusseite die Reihe der B-Töne sich an C-dur an, zunächst *F-dur*. Über die Heiterkeit des vorhergehenden Tons ist der erste leise Schatten gebreitet, die auf sich selbst gestellte Unbekümmertheit hat weichen und einem fremden Einflusse Raum geben sollen; ein sinniges Wesen macht sich geltend, gleich zugänglich der Heiterkeit, aber einer gemilderten, wie weicherer Empfindung und Rührung.

Die äußerste Grenze nach jener Seite hin bezeichnet Beethovens achte Symphonie. Will man inne werden, wie weit der in ihr angestimmte Freudenhymnus von echter Jugendfreude absteht, so versetze man das Thema nach G-dur: es wird kinderhaft erklingen. Daß der Tondichter ganz Anderes im Sinne trug, zeigt das berühmte Des[6] – und der ganze Verlauf der Dichtung. Kindlicher, aber weiche Rührung verschmelzend mit aufkeimender Heiterkeit, steigt die Pastoralsymphonie aus der schwebenden Quinte hervor.[7]

Wie dem verhüllten Schoße der Natur Lebensquellen entströmen, so quillt volles, rauschendes Leben in Frische und Fülle, nicht im heitern Licht der andern Tonseite, in *B-dur* hervor. Es ist die Fülle des Werdens, die sich im schimmernden Schatten hervordrängt, um hier auf unserer Erde ein rühriges, gesundkräftiges Leben zu beginnen und zu führen, – ob zu freudenvoller Erleuchtung, ob in zartere Rührung oder tiefere Überschattung gewendet, wer weiß es voraus? Beethoven richtete sich in seiner B-dur-Symphonie zu neuem Leben auf, stimmte in seiner großen B-dur-Sonate (Op. 106) den Hymnus eines übermächtigen und überreichen neuen Lebens an.

Jetzt folgt wieder die Milderung des dritten Tons. *Es-dur* tritt so mild wie F-dur, aber in tiefere Schatten gehüllt in die Reihe, weit ab von seinem Vorgänger, wie A-dur von dem seinigen; die weichen Es-Hörner sind in der Instrumentenwelt seine Verkörperung.

Aber die Heldensymphonie Beethovens? Eine Heldensymphonie und dies milde, zur Wehmut neigende Es-dur? Die Heldensymphonie ist keine Schlachtsymphonie, nicht einmal eine Siegessymphonie, die Beethoven *(Schlacht bei Vittoria)* in D-dur angestimmt; sie ist das Epos eines Helden, der nach Beethovens damaliger Meinung der Welt Freiheit und Wohlfahrt bringen sollte. Sie schreit nicht, wie Ares, sie ist mild, wie Homers Achill, sie kennt Saitenspiel und Klage, und nur im Zorne trifft sie grauenvoll. Es-dur war der rechte Ton; schon der erste Auftritt des Themas in den Violoncellen im ersten nebelumhüllten Morgengrauen beweist es.

Weitab von B-dur folgt auf das milde Es-dur die nächste Tonart, *As-dur,* in Nacht gesenkt. Wenn man sie den Ton feierlicher Andacht nennt und dabei der Empfindungen und Gedanken an Grabesstätten erinnerlich ist, so mag in diesen Vorstellungen wohl die Wahrheit anklingen, wenngleich sie nicht in ihnen erschöpft ist. Beethoven hat in As-dur die Sonate Op. 110 geschrieben, von Ahnungen des verrinnenden Lebens bewegt; auch seine kleine As-dur-Sonate (die mit den Variationen beginnende) stimmt wohl ein; am merkwürdigsten aber tritt As-dur im Wechselspiel mit C-dur im Andante seiner c-moll-Symphonie auf.

Hinter As-dur tritt *Des-dur* auf, die Nacht mit ihren unheimlich anfröstelnden Gesichten und anstarrenden Bildern, dergleichen im zweiten Satze von Beethovens großer F-moll-Sonate (Op. 57) hervorschweben aus der Tiefe, der Milde, der Verklärung sich entgegenheben und dann den Einsamen zurücklassen, hineingestoßen in den rastlosen Sturm seines Lebens.

Den Schluß macht das zweifelhafte *Ges-dur*.

Eine letzte Betrachtung darf bei der Charakteristik der Tonarten nicht aus den Augen gelassen werden, wenn man nicht selbst von den sichersten Festsetzungen aus in Ungewißheit und Irrtum geraten will.

Es ist die, daß in jeder größeren Komposition der Hauptton in Verbindung auftritt mit einer mehr oder minder großen Reihe von andern, näher oder ferner liegenden Tonarten. Der Charakter einer Tonart kommt also niemals ausschließlich und rein zur Wirkung, sondern in Verbindung und Wechselwirkung mit dem Charakter anderer Tonarten; und erst dieser Verband verschiedener Tonarten nebst ihrer Wechselwirkung auf einander gibt ein vollständiges Farbenbild des Tonwerks ab. So verwendet, um im Vergleiche zu bleiben, der Maler für sein Kunstwerk selten oder niemals eine einzige Farbe, wiewohl irgend eine Farbe den Hauptton dafür abgeben mag; er stellt verschiedene Farben nebeneinander, die sich gegenseitig bedingen, ja bisweilen zu verwandeln scheinen."

Soweit einige, dem Goetheanismus verwandte, Ausführungen von A. B. Marx. Im nächsten Abschnitt soll das Thema von einem weiteren Gesichtspunkt aus beleuchtet werden.

Die Tonarten im Zusammenhang mit dem Tierkreis

Eine geisteswissenschaftliche Skizze

Im Laufe des 19. Jahrhunderts suchten, wie wir sahen, einige Musiker und Ästhetiker in Worte zu fassen, was sich so außerordentlich schwierig aussprechen läßt: Welche Gefühlsskala wird in uns wach, wenn wir die Tonart in einer Komposition belauschen? Nur indem wir uns diese Gemütsbewegungen immer wieder durch Selbstbeobachtung zum Bewußtsein zu bringen suchen, kann es allmählich gelingen, den inneren Wert oder das Wesen einer Tonart zu beschreiben.

A. B. Marx konnte die Ordnung der Tonarten in tieferem Sinne so verstehen, daß die Durtonarten mit Erhöhungszeichen (von C aus nach G, D u. s. w.) als eine Sphäre des wachsenden Lichtes, der zunehmenden Wärme erlebt werden, während die Tonarten mit Erniedrigungszeichen (F, B, Es u. s. w.) in Seelengebiete führen, die mit der Nacht und ihren verborgenen Geheimnissen zusammenhängen. Er stellt also eine entgegengesetzte Richtung der beiden Reihen fest. D-dur erlebt er etwa als „Licht und Wärme zu kräftigem Walten gereift", As-dur nennt er „in Nacht gesenkt". Zweifellos hat er damit ein Urphänomen berührt, das jede musikalische Seele ansprechen kann. Dieser Gesichtspunkt wird für die Ergründung der geheimnisvollen Zusammenhänge noch fruchtbarer, sobald man erkennt, wie das allmähliche Zunehmen des Lichtes einerseits, und der Dunkelheit andererseits, Teile eines Kreislaufes bilden, wie wir ihn im Laufe von 24 Stunden, oder im Reigen der vier Jahreszeiten erleben.

Spürt man – mit Marx – in den Tonarten A und Es eine Art Zäsur, so könnte der nächste Schritt sein, daß wir diese Tonarten zugleich als Kulminationspunkte betrachten, indem bei E und H das Tages- oder Sommerlicht, und bei B und F das Winter- oder Nachtdunkel wieder abnehmen und sich allmählich in ihr Gegenteil wandeln. So empfinden wir H als Licht des späten Nachmittags, Fis oder Ges als Zwielicht, und F als Morgenröte eines neuen Tages.

Was Marx als zwei entgegengesetzte Reihen des wachsenden Lichtes, bzw. der zunehmenden Dunkelheit hinstellte, schließt sich nunmehr zu einem Kreis zusammen, und die Endpunkte bei Marx, Fis und Ges, werden in ihrer enharmonischen „Identität" vollkommen verständlich. Geheimnisvoll spielen dort Licht und Dunkel in einander.

Bei F und C findet der andere Übergang statt. Die Morgenröte des F wandelt sich in den C-dur-Sonnenaufgang:

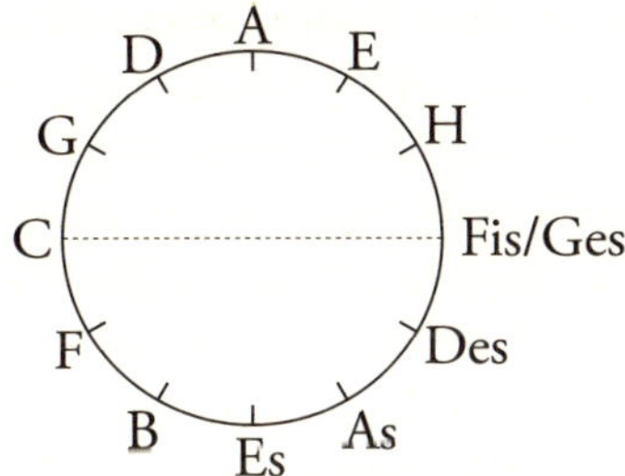

Diesen hier in kurzen Zügen angedeuteten Zusammenhang hat Hermann Beckh (1875 – 1937), der vielseitig begabte Wissenschaftler und Mitarbeiter Rudolf Steiners, erstmals durchschaut. Man findet ihn in seiner Schrift *Das geistige Wesen der Tonarten* (1923), und, stark erweitert und ausgearbeitet, in seiner letzten bedeutenden Publikation *Die Sprache der Tonart* (1937). Noch einige Hauptergebnisse der bahnbrechenden Forschung Hermann Beckhs seien hier erwähnt.

In dem Kreislauf der Tage und der Jahre erfahren wir die vielfältigen seelischen Einflüsse der wechselnden und stetig ineinander übergehenden Grade des Lichtes und der Wärme sowie der Dunkelheit und der Kälte. Ein Jahr ist in zwölf Monate eingeteilt, weil die Sonne in dieser Periode an den zwölf Tierkreiszeichen vorbeizieht. Die wachsende und abnehmende Sonnenkraft sowie den Wechsel von Licht und Dunkel, dürfen wir daher mit den Tierkreiszeichen in Zusammenhang bringen. Die Frühlingszeichen Widder, Stier, Zwillinge vermitteln wachsendes Licht, die Herbstzeichen Waage, Skorpion, Schütze zunehmende Nacht. Nicht nur das Leben in der Natur, das Entsprossen und Verwelken der Pflanzen, sondern auch die Seelenstimmung der Menschen in bezug auf die Natur- und Geisteswelt ist von dem Kreislauf der Jahreszeiten abhängig. Abwechselnd wird unser Seelenleben nach außen gesogen oder dem Inneren zugewandt. Je länger und kräftiger das Sonnenlicht am Tage die

Sinnenwelt erhellt, und je farbenprächtiger die Natur sich während der Frühlings- und Sommermonate ausgestaltet, desto stärker richtet sich der Menschensinn nach außen, um die Herrlichkeit der Naturerscheinungen wahrzunehmen.

Wenn hingegen das Licht sich zurückzuziehen beginnt, die Dunkelheit im Herbst herannahet und die Winterkälte uns verhindert viel draußen zu verweilen, wendet der Mensch sich naturgemäß mehr seinem eigenen Innern zu, um dort etwas von den Seelengründen und den ihr innewohnenden Geistesgeheimnissen zu erspüren. In der äußeren Finsternis können wir zu Weihnachten das Licht des göttlichen Geistes der Menschheit finde. Dort empfinden wir dann eine intime Helle und Seelenwärme der Frömmigkeit.

In unserer Lebenshaltung sind wir demzufolge während der Sommermonate mehr disponiert zu weltlichen Ansichten, die die Aufmerksamkeit vornehmlich auf die sinnlich wahrnehmbare Seite des Universums (Phänomenalität, Sensualität, Materialität) hinlenken, und neigen wir in den Wintermonaten mehr dazu, uns in spirituelle Aspekte zu versenken. Letzten Endes liegen all diesen Impulsen die spirituellen Einflüsse des Tierkreises zugrunde, indem die Sonne sich jeweils mit einem seiner zwölf Zeichen verbindet.

Im Zusammenhang mit diesen intimeren Angaben läßt sich aus der Tatsache, daß wir die eine Jahreshälfte als hell und warm, die andere als kalt und nächtlich empfinden, noch ein weiteres ableiten. So wie das Jahr durch die Widderkräfte eigentlich im Frühlingsmonat März anfängt, hebt die Reihe der Tonarten mit C an und führt, dem Quintenzirkel gemäß, zur Lichtseite des G, D und A.

In dem allmählichen Wachsen und Abnehmen der Helligkeit und Wärme der Kreuztonarten (an erster Stelle in Dur) darf man nach Beckh eine Parallele zu den Tierkreiszeichen des Frühlings und Sommers sehen, die ebenfalls täglich in dem Morgen, Mittag und Nachmittag vergegenwärtigt sind:

C	G	D	A	E	H	Fis
Widder	Stier	Zwillinge	Krebs	Löwe	Jungfrau	Waage
März	April	Mai	Juni	Juli	August	September
Morgen			Mittag			Nachmittag

Im Gegensatz hierzu stehen sodann die Tonarten der dunklen Jahreshälfte, die ihrerseits dem Abend, der Nacht und der Morgendämmerung ensprechen:

Ges	Des	As	Es	B	F
Waage	Skorpion	Schütze	Steinbock	Wassermann	Fische
Abend			Nacht		Morgendämmerung

Diese Anschauung aus der Anthroposophie findet eine Bestätigung bei Adolf Bernhard Marx, wenn er, wie wir sahen, die Tonart B-dur in bildhafter Weise charakterisiert: „Wie dem verhüllten Schoße der Natur Lebensquellen entströmen, so quillt volles, rauschendes Leben in Frische und Fülle, nicht im heitern Licht der andern Tonseite, in B-dur hervor."

Gruppieren wir auf diese Weise die Tonarten um die Tierkreiszeichen, so kommt der Tatsache, daß Fis und Ges (durch die gleichschwebende Stimmung seit dem Ende des 17. Jahrhunderts[8]) faktisch zusammenfallen, eine besondere Bedeutung zu. Wir befinden uns hier im Zeichen der Waage, das die Mitte bildet zwischen den Zeichen der Winterhälfte (beginnend bei dem Todeszeichen Skorpion) und denjenigen der Sommerhälfte (endend bei Jungfrau). Das Zeichen des Gleichgewichtes, des Schwankens zwischen Gegensätzen, ist die Waage.

In der Winterhälfte erleben wir die Vergänglichkeit des irdischen Lebens sowie alles Stofflichen, das Hinscheiden und die dem Tode innenwohnenden Geheimnisse der jenseitigen Geistessphären. Die Zeichen der Sommerhälfte hängen zusammen mit dem sich erneuernden Leben und dem aufkommenden Licht, und erfüllen uns mit irdischer Lebensfreude. Marx hat das Wesen der zwischen den beiden Hälften stehenden Waage-Tonarten Fis und Ges treffend nachempfunden, indem er es als „halb unsicher oder unfest" bezeichnete.

Wie oft schwankt die menschliche Seele unsicher und unbestimmt zwischen Licht und Finsternis, Gut und Böse, oder auch zwischen dem Stofflichen und dem Geistigen des Seins! Wie leicht neigt sich der Mensch den Extremen eines materialistischen Dynamismus oder eines spiritualistischen Illusionismus zu.

Unfassender noch als A. B. Marx äußerte sich sein Zeitgenosse Gustav Schilling über den Charakter des Fis/Ges. Es möge ein Zitat aus dem bereits genannten, philosophisch hochstehenden Werk *Versuch einer Philosophie des Schönen in der Musik* folgen, das die Tonartencharakteristik wohl am ausführlichsten behandelt. Sehr deutlich sieht Schilling nicht nur die äußere, sondern vor allem die innere Grenzstellung des zwischen den Reichen des Lichtes und der Finsternis stehenden Fis/Ges:

„Wie in ihrer enharmonischen Verwandtschaft nach außen hin sie gleichsam die auf einem Punkte zusammenfallende Grenze zweier verschiedener Gebiete bilden, so erscheinen sie auch hier, bei Betracht ihrer inneren Natur, gewissermaßen als der eine Scheideweg, dessen beide Seiten zwei völlig kontrastierende Gebiete zwar von einander trennen, je nach ihrer Lage aber auch noch berühren: wo die innere Empfindung sich empor gearbeitet hat aus dem Schmerze und mit Heftigkeit ergreift die Freude, die ihr entgegen tritt, da dürfte nach meinem Dafürhalten Fis-dur, wo dieselbe aber ihres Ziels sich gleichsam noch nicht gewiß weiß, und bangend noch hinüberschaut in das neu sich eröffnende Bereich der Freude und ängstlich, da dürfte Ges-dur am passendsten und ausdruckvollsten anzuwenden sein.“[9]

Hermann Beckh konnte, aus antroposophischem Geistesgut schöpfend, erstmals zu dem eigentlichen Geheimnis der Waage-Tonarten vordringen.

Wenn die menschliche Seele auf ihrem Entwicklungsweg an die Schwelle der geistigen Welt herantritt, wo sie den Übergang von der bereits zurückgelassenen Klarheit der Sinneswahrnehmung zu den noch in Nacht gehüllten Geheimnissen des Jenseits finden soll, so gähnt vor ihr ein furchterregender Abgrund. Dieses Schwellenerlebnis im Grenzgebiet zweier Welten ist schwindelerregend, da alle Gewißheit, die uns in der physischen Welt zu Gebote steht, aufhört. Das Überschreiten der Schwelle erfordert von der Seele sehr viel Kraft und Mut. Es kann nicht wundernehmen, daß der Mensch in diesem kritischen Augenblick seiner Entwicklung Unsicherheit, Schwankung, Zweifel und tiefste Furcht erlebt.[10]

Auch Beckh hatte die Überzeugung, daß das Zeichen der Waage im Kosmos die Schwelle zwischen den beiden Welten repräsentiert. Daher konnte er Fis-dur als die Tonart des Schwellenüberganges von der Sinnes- zur Geisteswelt charakterisieren.

Ähnliches gilt für die Moll-Parallele von Ges-dur, es-moll, die für Beckh den Ernst des Schwellenübertrittes ausdrückt. In zwanzig Seiten führt er dies mit zahlreichen Bespielen der Musikliteratur aus.[11]

Wie eindrucksvoll wirkt aus dieser Sicht die Art und Weise, wie Gustav Schilling, lange vor der Anthroposophie und ohne Kenntnis der Schwellengeheimnisse, die Seelenrührungen beschreibt, die bei dem Hören von Musikwerken in es-moll emporkommen: „Empfindungen der Bangigkeit, des allertiefsten Seelendranges, der hinbrütenden Verzweiflung, der schwärzesten Schwermut und der düstersten Seelenverfassung. Jede Angst, jedes Zagen des schaudernden Herzens atmet aus den gräßlichen Klängen dieser Tonart. Wenn Gespenster sprechen könnten oder singen, gewiß sängen oder sprächen sie in es-moll."[12]

In ähnlicher Weise bezeichnete Richard Hennig, obwohl er wie gesagt nur sehr zögernd den Charakter einiger Tonarten zu beschreiben wagt, es-moll als verschleiernd-geheimnisvoll, gleichsam wie einen Schauer vor dem Schrecklichen, bis zum Unheimlichen hin.

Obgleich auch im Frühling ein Übergang von der Dunkelheit zur Helle stattfindet, hat doch noch niemand im C-dur oder F-dur etwas von dem Schwankenden und Unbestimmten der Waagetonarten erlebt. Im Gegenteil! Die erhabenen Gefühle, die Hennig einmal bei dem Anblick eines Sonnenaufganges erfüllten, hätte er nicht anders als mit langen Akkorden in C ausdrücken können.[13] In dieser Beziehung betonen fast alle Autoren das Feste, Solide, Helle, Positive und manchmal Nüchterne der Widder-Tonart, als Gegenbild zur Waage.

Man vergegenwärtige sich den fundamentalen Unterschied in der Seelenstimmung bei einem Sonnenaufgang und einem Sonnenuntergang!

Erst durch Einbeziehung der beiden andern Pole, der Wendekreiszeichen Krebs und Steinbock rundet sich das Gesamtbild. In den Tonarten der mit Krebs und Steinbock verbundenen Sommer- und Wintersonnenwende erleben wir zwei verschiedene Kulminationen. Die tiefsinnige, feierlich-priesterliche „Weihnachtstonart" Es-dur kann uns manches von den verborgenen Geheimnissen des Menschen- und Weltengeistes, wie der geistigen Mitternachtssonne offenbaren.[14] Das hell-strahlende A-dur versetzt uns in die jauchzende Stimmung eines lichtdurchfluteten

Sommermittages, wie wir etwa an einem Johannitage erleben können, wenn unsere Seele, gleich den Lerchen, emporsteigen möchte zum Azurblau des unendlichen Himmelsgewölbes.

Die beiden Tonarten-Paare ergeben nunmehr zusammen folgendes Kreuz der Durtonarten A-Es-C-Fis, mit ihren Tierkreiszeichen Krebs-Steinbock-Widder-Waage

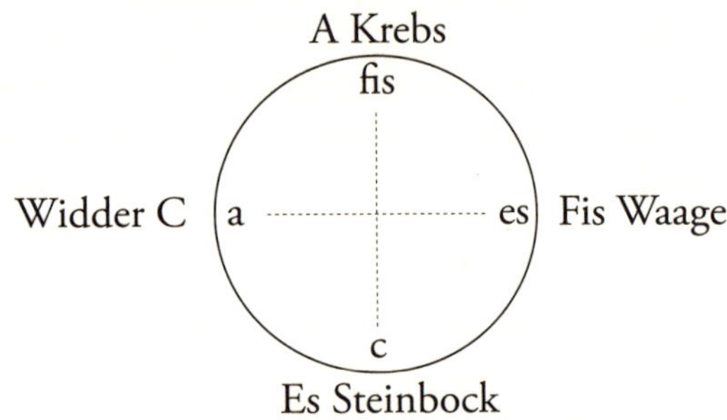

Indem wir gleichzeitig die vier Paralleltonarten fis-moll, c-moll, a-moll und es-moll in das Kreuz eintragen, so zeigt sich überraschend, daß ihre Positionen in dem Viereck dieselben Grundtöne aufweisen, nun jedoch um einen Viertelschlag gedreht.

C-dur mit seiner Parallele verbildlicht für uns den Widder. Wenn wir nun, wie es in Kompositionen oft geschieht, von C-dur nach c-moll schreiten, gelangen wir quadratweise vom Widder in den Steinbock. Gehen wir von a-moll nach A-dur, so kommen wir vom Widder in den Krebs. Der Übergang von es-moll nach Es-dur leitet uns von der Waage zum Steinbock. Wenn schließlich eine Komposition von Fis-dur nach fis-moll moduliert, erreichen wir von der Waage aus den Krebs.

Zusammenfassung der Forschungsresultate

Jeder Versuch, in einem Überblick die Stimmungsbeschreibungen der zwölf Tonarten, wie sie uns von der Fachliteratur überliefert worden sind, zusammenzufassen, stößt auf große Schwierigkeiten. Wenn es anfangs so scheinen mag, daß es verhältnismäßig wenig Literatur über dieses Thema gibt, so öffnen sich bei dem Nachforschen immer neue Perspektiven, bis man sich schließlich vor einer solchen Fülle ästhetischer und psychologischer Betrachtungen gestellt sieht, daß einem die Wahl erschwert wird. Eine Auswahl ist umso schwieriger, da es sich hier um ein äußerst subtiles Gebiet handelt, das man nicht voreilig in Begriffe abgrenzen darf, auf die Gefahr hin, das Lebendige, das alles Künstlerische beseelt, hinauszutreiben.

Außer den bereits genannten Werken kommen für unseren Zweck noch folgende Studien in Betracht: Hermann Stephani, *Der Charakter der Tonarten*, Werner Lüthy, *Mozart und die Tonarten-Charakteristik* und Paul Mies, *Der Charakter der Tonarten.* Gewiß wären noch andere Beiträge zu nennen; doch bevorzuge ich es, im Rahmen dieses Büchleins diese Auswahl zu treffen, wobei allerdings meine persönliche Auffassung mitspielt.[15]

Stephani bot 1923 in selbständiger und überzeugender Weise eine Zusammenfassung der Ergebnisse einiger Vorgänger dar. Lüthy (1931) und Mies (1948) übergehen diese Resultate keineswegs mit Stillschweigen, doch wählen sie neue, eigene Wege, die wichtige Perspektiven eröffnen auf Aspekte und Probleme, die bis dahin überhaupt nicht berücksichtigt wurden.

Keiner dieser Autoren kennt die Werke von Hermann Beckh, dessen grundlegende Betrachtungen hinfort eigentlich von niemand unbeachtet bleiben sollten.[16] Mögen diese Zeilen in zunehmenden Maße interessierte Laien und Fachleute dazu anregen, sich forschend weiter in dieses Thema zu vertiefen.

Ich möchte nun den Versuch wagen, aufgrund der vorhandenen Urteile der Musikästhetiker, insofern sie sich nicht widersprechen, die zwölf Durtonarten in ihren wesentlichsten Eigenschaften zu skizzieren.

Bevor wir uns in Einzelheiten vertiefen, sei kurz vorausgeschickt, daß die Zweiteilung des Quintenzirkels in Kreuz- und Be- Tonarten nicht nur von einem formellen Standpunkt aus zu betrachten ist. Man gebe sich durchaus Rechenschaft davon, daß dies mit seinem Wesen zu tun hat.

Ein Wort des Musikwissenschaftlers Hugo Rieman (1849 – 1919) kann uns zeigen, daß auch er sich bewußt war: Die Kreuztonarten haben einen Zusammenhang mit dem Erleben der objektiven Außenwelt, die man auch die helle Tageswelt nennen könnte; die Tonarten mit Be-Vorzeichnung hingegen führen uns in uns selbst, oder in die Nacht des Innermenschlichen hinein, wo die Geheimnisse der geistigen Welt schlummern.

Riemann drückt sich wie folgt aus: „Alle von den Grundskalen (C-dur und a-moll) weiter abliegenden Tonarten werden je mehr und mehr transcendent, entfernen sich von der schlichten Alltagswelt und werden zu Gebieten erdentrückten idealen Seins und Empfindens. Die Tonarten mit den Bee's erscheinen gegenüber denen mit den Kreuzen subjektiver, mehr in sich gekehrt, desgleichen ist Moll gegenüber Dur mehr nach innen gewendet. Die Moll-Tonarten mit vielen Bee's sind daher die verschlossensten, sozusagen die philosophischsten (f-moll, b-moll, es-moll). Dur-Tonarten dagegen fließen über von allumfassender Liebe; sie offenbaren das Glück einer die Harmonie der Welt entzückt schauenden Seele."[17]

Außenwelt und Innenwelt, das Objektive und Subjektive, das Offenbare und Verborgene, die Sinnes- und Geisteswelt: Diese Dualitäten liegen auch in dem Gegensatz zwischen Dur und Moll. Damit wird zugleich verständlich, daß es einfacher sein muß (es bleibt schwierig genug), sich über die Gefühlswerte der „offenen" Durtonarten auszusprechen, als über die „verschlossenen" Molltonarten. Aus diesem Grunde beschränkt sich die nachfolgende Übersicht auf den Quintenzirkel in Dur.

In Betreff des Dur-Moll-Gegensatzes sei hier nur noch ein Wort Goethes erwähnt, weil es deutlich das Urphänomen charakterisiert: „Meine Überzeugung ist diese: Wie der Durton aus der Ausdehnung der Monade ensteht, so übt er eine gleiche Wirkung auf die menschliche Natur; er treibt sie ins Objekt, zur Tätigkeit, in die Weite, nach der Peripherie.

Ebenso verhält es sich mit dem Mollton. Da dieser aus der Zusammenziehung der Monade entspringt, so zieht er auch zusammen, concentriert, treibt ins Subjekt und weiß dort die letzten Schlupfwinkel aufzufinden, in welchen sich die allerliebste Wehmut zu verstecken beliebt. Nach diesem Gegensatz werden kriegerische Märsche, ja alles Auf- und Ausfordernde sich im Durton bilden müssen. Der Mollton ist nicht allein dem Schmerz oder der Trauer gewidmet, sondern er bewirkt jede Art von Concentration."[18]

Im *C-dur* hörte Riemann also den Ausdruck der schlichten Alltagswelt. Andere Musiker und Ästhetiker haben diese Stellungnahme erweitert, nuanciert und vertieft. C-dur-Stücke erscheinen sehr oft in geraden Taktarten und erklingen gern „con brio". Unser Gefühl erlebt diese Tonart als kerngesund, fest, voll irdischer Kraft, ursprünglich, solide, ausgesprochen positiv und annehmend. Ihre Sprache ist einfach, natürlich, jung und rein, naiv, bieder und offenherzig. Im C-dur spricht sich eine nüchterne, unpersönlich-objektive und klare Verstandesmäßigkeit, eine gesetzgebende Bestimmtheit aus. Durch C-dur empfinden wir ein Erwachen unseres hellen Ich-Bewußtseins, einen innerlichen (oder auch äußerlichen) Sonnenaufgang, die Überwindung des Dunklen und Chaotischen durch die lichten Ich-Kräfte eines klaren Gedankenganges oder eines festen Willensentschlusses. Treffend drückt diese Tonart Wahrheit aus, aufrechte Gesinnung, doch auch feurige Willenskraft, Furchtlosigkeit und persönliche Beharrlichkeit, die zu strenger Härte oder sogar Frechheit werden kann. Auch das Militärische, Kriegerische äußert sich vorzugsweise in C-dur. Ihre höchste Ausdrucksmöglichkeit findet es im mächtig-majestätisch Erhabenen, doch dabei auf offensichtliche Art, nicht hintergründig wie etwa Des-dur. Ein feierliches Loben der Herrlichkeit Gottes in seiner Schöpfung und die Überwindungsfreude einer großen Seele, dies alles klingt sehr überzeugend in C-dur.

Während in C-dur geistige Willenskraft beschlossen liegt, ist *G-dur* ganz und gar eine Gefühlstonart, die schlichte, intime Empfindungen einer ruhigen Ergriffenheit zum Ausdruck bringt: Bescheidenheit und

Zufriedenheit, stilles und sorgloses Glück, Gutherzigkeit, Freundlichkeit, Frohmut und Freude, Scherz und Humor. Als typische Tonart für Hirtenstimmung und idyllische Ländlichkeit ist G-dur eng mit F-dur verwandt. Es klingt in ihr kindliche Einfalt und Unbefangenheit, gewissermaßen ein aufblühender Reiz, der uns an den Mai, den Monat Marias, erinnert. G-dur ist die Tonart der gläubigen Frömmigkeit. Da es eine ausgesprochen sanghafte Tonart ist, kann es gesunde, genesende Liebeskräfte und die Harmonie reiner Menschlichkeit zum Ausdruck bringen, doch auch Liebesgefühle sentimentaler Art. Gefühlsmenschen wie Haydn und Schubert, doch oft auch Mozart und Beethoven, konnten den Reichtum ihrer Sentimente in G-dur äußern.

Kein anderer hat die Charakterzüge des *D-dur* so treffend offenbart wie Joh. Seb. Bachs erhaben-mathematisches Genie, das sich vorzugsweise in dieser Tonart und ihrer Moll-Parallele (h) ausgesprochen hat. D ist die klassische Tonart des Menschen, der siegend sein höchstes Ziel erreicht hat, die Tonart des Triumphes, des Halleluja oder Jubilate, freudevoll jauchzend in Festlichkeit und hochgestimmter Lebenslust. Diese Tonart äußert sich gern in geraden Taktarten und in belebtem Tempo, öfter mit Läufen, Trillern und anderen Verzierungen. Daher erhält D-dur den Charakter des Brillanten, Glänzenden, Funkensprühenden, doch auch des Erhabenen und Hinreißenden. In dieser Hinsicht steht D-dur dem C-dur viel näher als dem G-dur. Doch ist D von überfließender Kraft, ja die stärkste aller Tonarten, viel heller strahlend als C. Siegreich steigt sie empor, dem Licht der höchsten Sphären entgegen. Sie erhebt sich zu vollendeter Gedankenentfaltung und läßt uns in ihrem Höhenflug das weltordnende göttliche Denken ertönen.

Doch auch Eigensinnigkeit, Schärfe, Wut und Rachsucht lassen sich treffend in D-dur ausdrücken. Manchmal wird diese Tonart etwas zu laut und lärmend. Paul Mies erwähnt, daß bei Brahms D-dur die häufigste Tonart ist. Das gilt, bis auf eine (Es-dur), auch für Beethoven. Schließlich sind die meisten Dur-Stücke von Mozart in D komponiert, worauf an zweiter Stelle C und B, und an dritter Stelle G und F folgen.

Im Gegensatz zu dem hellen Licht des D-dur, das als Widerspiegelung der strengen Gedankenwelt, einen objektiven Charakter hat, erleben wir in *A-dur*, da es subjektiv ist, gewissermaßen ein gedämpftes, gefühlvolles, verinnerlichtes Licht, das jedoch unsere Seele anregt und erquickend durchstrahlt. Dieser Ton ruft dichterische Gefühle auf und erweckt in uns die schönsten Glücksgefühle. Denn A ist ein Ton reinster Schönheit und Anmut. Weit innerlicher als G, neigt A, wie D, wenn auch in geringerem Maße, zur Brillanz. Leichtgeflügelt, schmetterlinghaft schwebend, anmutig gleich einer Nymphe, jugendlich froh, völlig sorglos, - so tanzt A-dur. Es stimuliert unsere Lebensgefühle; wie oft erhebt es nicht die Seele zu einer jauchzenden Johannistimmung, wobei unser Herz gleichsam einer Lerche in das beglückende Azurblau des Himmelsgewölbes emporsteigen möchte.

Wer als feinfühliger Mensch das unbegrenzte Glück der Liebe erlebt, würde vor lauter Wonne seine Seele in A-dur ausschütten. Diese Tonart ist voller Hoffnung und Vertrauen, auch da, wo ihr etwas elegischer Unterton hörbar wird. Kokettes Liebesspiel und schelmische Mädchenlaune erklingt ebenfalls unbeschwert und federleicht in A-dur.

Viel größeren Ernst und reife Besonnenheit weist *E-dur* auf. Es vermittelt uns einen Eindruck des Außergewöhnlichen. Mit viel Pathos und fast visionärer Kraft kommen hier erhabene Stimmungen und hochgespannte Erwartungen zum Ausdruck. Von den meisten Forschern wird diese sehr sanghafte, gefühlsreiche Tonart als die hellste, oder jedenfalls als die wärmste und sonnigste betrachtet: mehr golddurchleuchtet als grell (wie D-dur) oder mild strahlend (wie A-dur). Dabei ist E-dur ausgesprochen feierlich, würdevoll und edel, ja fast königlich. E ist noch romantischer und poetischer als A, mit einem Schimmer elegischer Wehmut, die zu stiller Melancholie oder träumerischer Frömmigkeit anschwellen kann. Obgleich man e-moll als Mendelssohns Lieblingstonart betrachten könnte, ist doch auch E-dur sehr charakteristisch für diesen Tondichter des märchenhaften Sommernachtstraumes.

H-dur, mit fünf Kreuzen, liegt wohl sehr weitab von der „Alltäglichkeit“

des C-dur. Es fällt den Ästhetikern schwer, dessen verborgenes Leben zu belauschen. Äußerungen über ihre Eigenschaften sind daher nur spärlich und wenig überzeugend.

Bezeichnenderweise ist keines der zahlreichen Werke Mozarts in H-dur komponiert. Das gilt ebenfalls für Fis/Ges-dur und Des-dur. Mozart bewegte sich fast nur in den lichteren Regionen um C.

H-dur erstrebt volleres Klangvolumen, z.B. durch gebrochene Akkorde, Arpeggios, straffe, scharfe Rhythmik mit kräftigen Sprüngen und hoher Tonlage. Sein wundersam schimmernder Funkenglanz, wie man ihn des öfteren bei Sonnenuntergang beobachten kann, erweckt Abschiedsstimmung und Todesahnung, wobei ein letzter Widerschein des Irdischen verklärend nachglimmt. Bei H-dur stehen wir vor dem Übergang von der Tageswelt der Kreuztonarten zum dunklen Nachtreich der geheimnisvollen Be-Tonarten.

Die eigentliche Schwelle zwischen dem Lichtreich der Sinnenwelt und dem Dunkel des verhüllten Geistesgebietes betreten wir bei Fis, bzw. Ges, das im Scheinglanz des Dämmerlichtes den Eindruck des Unfesten und Schwankens bietet. Doch haben wir diese Tonart bereits früher (S. 17) besprochen und charakterisiert. Als Ergänzung der dort angeführten Aussagen sei noch H. Stephani zitiert: „Die geheimsten Herzenskammern erschließt vielleicht Ges-dur."[19]

Schreiten wir nun, dem Quintenzirkel folgend, zu den Tonarten der Nachtseite weiter, so gelangen wir zu *Des-dur.* In dieser Tonart, die früher sehr selten Verwendung fand, liegt das Höchste, so wie das Niedrigste beschlossen. Das hängt mit den beiden Aspekten des dazugehörigen Tierkreiszeichens zusammen: Adler und Skorpion; einerseits göttliche Schaffenskraft, Unermeßlichkeit und Entsteigung des Weltlichen, andererseits Abgründe der Sinnlichkeit und visionäre Extasen, zugleich mit beängstigenden Todesschauern; daher auch eine seltene Mischung von Seligkeit und Schmerz.

Diese Tonart ist weich, sanft, höchst gefühlvoll und sanghaft, rhythmisch schwingend in Begleitung und Motiv. Aus ihr spricht süße Betäubung, trunkene Glut der Sinnesberauschung, narkotisch-bezaubernder

Duft exotischer Nachtblumen. Auch pathetische Pracht und Prunksucht, sowie überwältigend Großartiges kann in ihr ausgedrückt werden. Es handelt sich bei Des (bzw. Cis) um eine schimmernde, verwunschene Pracht, die trüglich ist, denn sie ist dem Untergang geweiht. Walhalla, die Götterburg im „Ring des Nibelungen" von Richard Wagner erklingt permanent in Des. Daneben auch die visionärextatischen Nocturne-Stimmungen bei Chopin. Hier stehen wir am Gegenpol der jungfräulich-unschuldigen, einfältig-frommen und klaren Tonarten G und D. Welch ein Gegensatz: Mozart und Haydn an der einen, Chopin und Wagner an der anderen Seite!

As-dur ist eine tief-mystische Tonart voller Geheimnisse der übersinnlichen Geisteswelt: „Geist und Seele scheinen sich auf den Wellen ihrer Klänge hinüber zu schaukeln in die Heimat himmlischer, geistiger Wesen" schreibt Schilling.[20]

Diese Tonart ist besonders gefühlvoll, ganz nach innen gewandt, weich und voll edler Sentimente; melodiöser als Des, und weniger zu lauten, energischen Ausbrüchen oder zu schnellem Tempo neigend. Auffallend viel Komponisten bezeichnen ihre As-dur-Motive mit den Ausdrücken *cantabile* oder *dolce*. Chopin fühlte sich geistig in As zuhause, doch auch Beethoven und Schubert haben ihm verborgene Tiefen ihres Innenlebens abgelauscht. Am ergreifendsten offenbarte Richard Wagners mystischer Charakterzug die Geheimnisse dieser Tonart in dem nächtlichen Erlösungsdrama *Tristan und Isolde*.

Milder, feierlicher Ernst, völlige Hingabe und Andacht äußern sich in As; nur Es-dur ist ihm darin ebenbürtig. Doch vertont As, im Gegensatz zu Es, in hohem Maße der Seele Sehnsucht nach der Vereinigung mit dem Angebeteten oder Geliebten. In As meditiert eine fromme, tiefgläubige Seele.

Die Tonart *Es-dur* ist zwar mit As verwandt in bezug auf Herzinnigkeit, doch ist sie reicher an Deutungsmöglichkeiten. Vor allem ist sie kräftiger, männlicher als das weibliche, weiche As. Sie zeichnet sich durch Geistesadel aus. Während aus dem As-dur die Sehnsucht nach der Vereinigung mit dem Angebetenen spricht, können in Es-dur diese Vereinigung selber und die damit verbundenen Andachtsgefühle gut zum Ausdruck kommen. Beide Tonarten führen uns in das Nachtreich der übersinnlichen Sphären und zu den dort hausenden Wesen. Der schwäbische Dichter und Komponist Chr. Fr. Daniel Schubart nannte Es-dur sehr zutreffend die Tonart der Liebe, der Andacht, des traulichen Gesprächs mit Gott, und Werner Lüthy weist darauf hin, daß die sogenannten „Ombra-Szenen" in der italienischen Oper, das heißt die nächtliche Heraufbeschwörung von Göttern oder die Erscheinung abgeschiedener Seelen, fast immer in Es erklingen.

Vor allem ist Es-dur jedoch in der Tat die Tonart tiefer, geistiger Liebe. Oft ist sie mit geweihter Gebetsstimmung verbunden. Die wundersame, innerliche Seelenwärme, die das Erlebnis eines göttlichen Funkens im Menschenherzen, oder die Geburt Jesu zu Weihnachten in der Seele wachruft, spricht sich am besten in Es-dur aus.

Mit der Weihe, der abgemessenen Feierlichkeit und priesterlichem Königtum verbindet sich öfter Grazie, Beseeltheit und Virtuosität. Beethovens religiöse Genialität fühlte sich vollkommen in Es-dur zuhause. Mit c-moll ist Es-dur seine bevorzugte Tonart. Nicht weniger als 17 mehrsätzige Werke liegen ihr zugrunde. Durch die Nacht emporsteigend zum Licht, per aspera ad astra: Das ist das Thema seines geistigen Heldenlebens, so wie es in Es-dur erklingt.

Diese Tonart ist noch tiefsinniger und spiritueller als As. Als geistigste aller Tonarten offenbart sie – zusammen mit c-moll – die intimen Gemütsbewegungen, in denen die verborgene Schicksalsbestimmung des Menschen zu belauschen ist.

B-dur ist eine milde, sachte, mütterlich-warme Tonart. Sie kann Trost schenken und eignet sich zu zarten weichen, freudigen und hingebungsvollen Gefühlen. Robert Schumann fühlte sich in ihr wohl. Ein gutes, gottergebenes Gewissen, sehnsüchtige Hoffnung und Erwartung, ein Vorgefühl neuer Lebenskräfte, all dieses läßt sich treffend darin ausdrücken. Natürlich selten in einem ausgesprochen langsamen, doch eher (in Übereinstimmung mit ihrem harmonischen, ausgeglichenen Charakter) in einem mäßigen Tempo. Während C-dur dem Wesen nach kerngesund ist, wirkt B-dur vielmehr genesend, durch die in ihm wirkende natürliche Urkraft des Lebens.

F-dur schließlich ist die klassische Tonart des heiligen Friedens; des Friedens im Leben der Natur, des Friedens zwischen den Menschen, und im Menschen selber. Daher ist es auch die Tonart der Freundschaft und des Wohlbehagens. Sie klingt beruhigend, freudvoll, fromm, dankbar, freundlich und ländlich im besten Sinne des Wortes. Auch drückt sie leichten Scherz und fröhliche Lebenslust aus. Aber dennoch klingt F-dur etwas elegischer und gefühlskräftiger als B-dur.

Johann Mattheson, der sich als Zeitgenosse Bachs als Erster über den Charakter der Tonarten ausgesprochen hat, hörte in F „die schönsten Sentiments von der Welt... Großmut, Standhaftigkeit, Liebe, oder was sonst in dem Tugendregister obenan steht." Und all dieses in völlig natürlicher und freier Weise, ohne jeden Zwang, vergleichbar mit „einem hübschen Menschen... der, wie die Franzosen reden, bonne grâce hat."[21]

Was den Charakter des F-dur angeht, sind sich alle Ästhetiker überraschend einig. Von einem anthroposophischen Standpunkt aus könnte man zusammenfassend sagen: F ist vorzüglich eine christliche Tonart, vergleichbar mit dem übereinstimmenden Fische-Zeichen, das in den Katakomben das Christus-Symbol war. F-dur ist denn auch, ebenso wie G, besonders geeignet für Choräle, die jede Menschenseele ansprechen.

Über die Molltonarten

Mit der vorangehenden Zusammenfassung schließt Sigismund von Gleich seine Betrachtungen über die Hintergründe der Durtonarten ab. Wie oben bereits angedeutet wurde (S. 22), lassen sich die Gefühlswerte der Molltonarten wohl noch schwieriger ergründen. Wenn in diesem ergänzenden Kapitel versucht wird, auch noch das Mollgebiet in die Betrachtung einzubeziehen, so geschieht dies einerseits um wenigstens einiges desjenigen zu erwähnen, was darüber in der Literatur zu finden ist, und andererseits um Musikliebhaber, die für dieses Thema offenstehen, zu weiterer Forschung zu ermutigen.

Das Wesen der Molltonarten ist komplex. In äußerem Sinne kann man das bereits daran sehen, daß jede Molltonart zwei Arten der Verwandtschaft mit einer Durtonart kennt. Die eine beruht auf einem gleichlautenden Grundton, zum Beispiel c-moll gegenüber C-dur, d-moll gegenüber D-dur. Bei dieser Verwandtschaft ist der Wechsel zwischen großer und kleiner Terz, sowie zwischen großer und kleiner Sext in bezug auf den Grundton bezeichnend:

```
c   d   e    f   g   a    h   c   (Dur)
c   d   es   f   g   as   h   c   (Moll)
└────────┘
   Terz
└─────────────────────┘
          Sext
```

Komponisten verwenden diese Verwandtschaft sehr oft, indem sie etwa ein mehrsätziges Werk in Moll anfangen und den letzten Satz in Dur anheben oder abschließen. Als Beispiel können wir das Violinkonzert von Felix Mendelssohn nehmen, dessen erster Sazt in e-moll, und dessen letzter Satz in E-dur steht. Doch auch das Umgekehrte kommt vor. Die vierte Symphonie von Mendelssohn beginnt in A-dur (erster Satz) und endet in a-moll (vierter Satz).

Dieser Wechsel läßt sich auch in kleinerem Bereich, das heißt innerhalb eines einzelnen Stückes beobachten, wie zum Beispiel in der Klavierfantasie in d-moll von Wolfgang Amadeus Mozart (KV 397), oder in dem Impromptu in Es-dur (Op. 90/2) von Franz Schubert. Das Stück von Mozart schließt in D-dur, Schuberts Komposition in es-moll ab.

Eine Verwandtschaft ganz anderer Art ist die Terzparallele zwischen Dur und Moll. Sie läßt sich wie folgt darstellen. In jeder Durtonart kommt eine Molltonart zum Vorschein, wenn man die Tonreihe (diesmal von oben nach unten gerechnet) zwei Töne, das heißt eine Terz, tiefer ansetzt:

c	h	a	g	f	e	d	c			(C-dur)
		a	g	f	e	d	c	h	a	(a-moll)

Hier haben wir es also mit unterschiedlichen Grundtönen (c und a), doch sonst gleichlautenden Tönen der Leiter zu tun.

Auch diese Paralleltonarten kommen in der Musikliteratur sehr häufig vor. Sie sind sogar Bestandteil der Formenlehre der Musik. Bekanntlich folgt im klassischen Sonatenschema normalerweise auf ein in Moll stehendes Hauptthema ein Seitenthema in der Durparallele. Als Beispiel sei der Anfang der 7. Violinsonate von Beethoven (Op. 30/2) angeführt. Das Hauptthema steht in c-moll:

Es schließt sich das zweite Thema in Es-dur an

Unzweifelhaft spielen beide Arten der Verwandtschaft in der Gedankenwelt des Komponisten eine große Rolle und sind daher auch die Gefühlswerte einer jeden Molltonart nach zwei verschiedenen Seiten hin schattiert.

In Hinsicht auf die Molltonarten ist noch auf einen weiteren Gesichtspunkt aufmerksam zu machen. Wenn wir die Musikliteratur des 18. Jahrhunderts untersuchen, so ist es auffällig, daß längst nicht alle Tonarten gleich oft verwendet werden. Die Komponisten wählten meist keine Tonarten mit mehr als drei Vorzeichen (Kreuz oder Be) für ihre Werke. Das bedeutet, daß folgende Tonarten zu den Seltenheiten gerechnet werden müssen:

E-dur cis-moll
H-dur gis-moll
Fis-dur dis-moll

As-dur f-moll
Des-dur b-moll
Ges-dur es-moll

Die erste, konsequent durchgeführte Verwendung aller 24 Dur- und Molltonarten ist dem Genie Johann Sebastian Bachs vorbehalten gewesen, in den beiden Zyklen seines *Wohltemperierten Klaviers*. Diese beiden

Bände wurden jedoch zu Bachs Lebzeiten niemals gedruckt und zirkulierten lange Zeit lediglich in Abschriften, in einem beschränkten Kreis von Instrumentalisten und Komponisten.

Nach dem Ende der Barockperiode gewannen die Durtonarten in der Musik von Haydn, Mozart und Beethoven – sie schrieben vorwiegend in den Tonarten C, D, Es, F, G, A und B – deutlich die Oberhand, auf Kosten des Moll. Paul Mies untersuchte dies u. a. bei Beethoven und kam zu dem Ergebnis, daß vier Fünftel seines Gesamtwerkes dem Durgeschlecht angehört und nur ein Fünftel dem Moll.

Ab etwa 1815 wuchs bei den Komponisten der aufkommenden Romantik aufs neue, und diesmal auf ganz anderen Wegen, eine Wertschätzung der fernerliegenden Tonarten. Zugleich wandten sie sich wieder mehr den Molltonarten zu. Im Zeitalter J. S. Bachs war die Verwendlung aller 24 Tonarten möglich geworden durch die Entdeckung der gleichschwebenden Stimm-Methode für Tasteninstrumente, die es früher nicht gab. Allerdings blieb Bachs beispielhafte Verwendung dieser Errungenschaft ohne direkte Nachfolge. Jetzt, ein Jahrhundert später, hatte sich der Klanggehalt der Musik aber soweit entwickelt, daß die selteneren Tonarten gleichsam von innen heraus in den Kompositionen hervorwuchsen.

Die hier nur sehr kurz angedeuteten Entwicklungslinien können auch eine Erklärung für die Tatsache sein, daß die Literatur über die Gefühlswerte der 12 oder 24 Tonarten erst im 19. Jahrhundert allmählich in Gang kam. Johann Mattheson, der Pionier auf diesem Gebiet am Anfang des 18. Jahrhunderts, behandelt die Tonarten mit mehr als vier Vorzeichen überhaupt nicht. Haydns Zeitgenosse Daniel Schubart konnte, etwa 70 Jahre nach Mattheson, als erster eine ziemlich ausgewogene Charakterisierung aller Tonarten geben.[22] Die ausführlichsten Betrachtungen wurden jedoch in der Periode nach 1830 veröffentlicht. Sie beziehen sich häufig auf Schubart.

Für Leser, die sich eingehender mit diesem Thema befassem wollen, folgt hier erst eine kurze Übersicht über die Art und Weise, wie Peter J. Schneider (1835), Ferdinand Hand (1837), Gustav Schilling (1838), Adolf B. Marx (1863), Hermann Beckh (1937) und Paul Mies (1948) die Tonarten behandeln.

Schneider folgt in seiner Betrachtung *Die Musik und die Poesie (System einer medizinischen Musik)* dem Quintenzirkel in „umgekehrter" Reihenfolge, das heißt, er behandelt zuerst die Tonarten mit Be-Vorzeichen, dann diejenigen mit Kreuzen. Nach jeder Durtonart wird die Mollparallele besprochen. So bietet er kurze, meist stichwortartige Umschreibungen von

C-dur	und	a-moll
F-dur	und	d-moll
B-dur	und	g-moll
Es-dur	und	c-moll
As-dur	und	f-moll
Des-dur	und	b-moll
Ges-dur	und	es-moll
H-dur	und	gis-moll
E-dur	und	cis-moll
A-dur	und	fis-moll
D-dur	und	h-moll
G-dur	und	e-moll

Ferdinand Hand hingegen geht in seiner *Ästhetik der Tonkunst* vom „normalen" Quintenzirkel aus. Nach jeder Durtonart behandelt er die Molltonart des gleichen Grundtons:

C-dur	und	c-moll
G-dur	und	g-moll
D-dur	und	d-moll
A-dur	und	a-moll
E-dur	und	e-moll
H-dur	und	h-moll
Fis (Ges)-dur	und	fis-moll
Cis (Des)-dur	und	cis-moll
As-dur	und	gis(as)-moll
Es-dur	und	es(dis)-moll
B-dur	und	b-moll
F-dur	und	f-moll

Seine Charakterisierungen sind ausführlich und verweisen stets auf Beispiele aus der Musikliteratur.

Gustav Schilling gibt weitläufige Umschreibungen aller Tonarten, gleichfalls in der Reihenfolge des Quintenzirkels. Erst werden die Durtonarten behandelt: C, G, D, u.s.w.; danach die Paralleltonarten in Moll: a, e, h,... Schilling zitiert häufig Kompositionen als Erläuterung.

Adolf Marx bespricht, wie wir im ersten Kapitel sahen, die Durtonarten von C-dur aus nach zwei Richtungen, erst dem Quintenzirkel gemäß aufwärts bis Fis, sodann abwärts von F bis Ges. Den Molltonarten widmet er nur einen Satz: „Jede Molltonart ist die Umwandlung ihrer Durtonart in dem Sinne des Mollgeschlechts gegenüber dem Durgeschlecht.“ Damit stellt er sich auf den Standpunkt, daß für eine Molltonart die Grundstimmung der gleichnamigen Durtonart maßgeblich ist.

Hermann Beckh fundiert seine Darlegung auf Polaritäten, die er über drei „kreuzförmige“ Gruppen von je vier Dur- und vier Molltonarten verteilt (vgl. die Abbildung auf S. 20). Nach jeder Durtonart wird die dazugehörige Mollparallele angegliedert:

I	C-dur, a-moll	–	Fis-dur, es-moll
	Es-dur, c-moll	–	A-dur, fis-moll
II	F-dur, d-moll	–	H-dur, as-moll
	D-dur, h-moll	–	As-dur, f-moll
III	G-dur, e-moll	–	Des-dur, b-moll
	B-dur, g-moll	–	E-dur, cis-moll

Wie bereits erwähnt wurde, bringt Beckh den Quintenzirkel erstmals in Zusammenhang mit den Tierkreiszeichen. Die ausführlichen Charakterisierungen der Tonarten bestehen jeweils aus einem allgemeinen Teil und einer speziellen Erörterung in bezug auf das Werk Richard Wagners.

Paul Mies macht dieselbe Einteilung wie Schilling. Auch seine Umschreibungen sind sehr umfassend. Überdies gibt er zahlreiche Notenbeispiele und bezieht auch andere Aspekte der Musik, wie z. B. Taktart und Tempo, in seine Untersuchung ein. Mies setzt sich auf positivkritische Weise mit den Aussagen anderer Autoren auseinander. Das Werk Hermann Beckhs ist ihm jedoch unbekannt.

Aus diesen unterschiedlichen Einteilungen kann man ersehen, daß sie einigermaßen die beiden oben besprochenen Arten der Verwandtschaft zwischen den Dur- und Molltonarten widerspiegeln. Schneider, Beckh und Mies behandeln die Molltonarten als Terzparallele der Durtonarten, während Hand und Marx die gleichnamigen Dur- und Molltonarten als zusammengehörig betrachten.

Eine eingehende Betrachtung all desjenigen, was von diesen Autoren über die Molltonarten hervorgebracht worden ist, überschreitet den Rahmen dieses Kapitels. Um nun trotzdem der Wesensart der Molltonarten etwas näherzutreten, will ich mich auf zwei Autoren beschränken, die sich besonders tiefgehend mit diesem Thema befaßt haben: Gustav Schilling *(Versuch einer Philosophie des Schönen)* und Hermann Beckh *(Die Sprache der Tonart)*.

Schilling konnte, wie bereits dargelegt wurde, aus der philosophischen Gedankenwelt Friedrich Schellings schöpfen und darf zu den Goetheanisten gezählt werden. Beckh ließ sich – nahezu genau ein Jahrhundert später – bei seinen Betrachtungen von den geisteswissenschaftlichen Untersuchungen Rudolf Steiners inspirieren. Eine Gegenüberstellung der Überzeugungen dieser beiden Forscher kann von diesem Blickwinkel aus fruchtbar sein, zumal man davon ausgehen darf, daß Beckh das Werk Schillings nicht gekannt hat.

Die nachfolgenden Umschreibungen sind lediglich als kurze Auszüge der Originaltexte zu verstehen. Viele interessante Zusammenhänge, die man vor allem bei Beckh findet, müssen bei dieser Übersicht, worin ich der Reihenfolge Peter Schneiders folge, außer Betracht bleiben.

	Schilling	Beckh
a-moll	Zögernde Hingebung, zagende Weichheit. Fromme Weiblichkeit und Zartheit des Charakters. Ist sowohl zu Scherz und Freude, als zu Ernst und Trauer gestimmt. Im Schmerz nicht widerstrebend, noch trostlos verzagend.	Halbdunkle Tonart, mit einer romantischen Zwielicht-Natur. Geeignet für schwermütige Volksweisen aus Nord- oder Osteuropa. Manchmal willenshaft- trotzig und zum Chromatischen hinstrebend.
d-moll	Eine Tonart schwermütiger Weiblichkeit, die Spleen und Dünste brütet. Tiefe Trauer und Bangigkeit, die aber noch nicht verzagt, sondern nach einem ermutigenden Aufblick zur himmlischen Fügung strebt.	Eine dunkle Tonart, die mit der starren, erstorbenen Natur zusammenhängt. Sie birgt Rätsel des Todes in sich. Das Licht verbirgt sich hinter finsteren Wolken.
g-moll	Bewegt sich im Sentimentalen und in graziöser Schwermut, die bis zur Unbehaglichkeit und zum Mißmut gesteigert werden kann. Ein Kampf zwischen Entschluß und Bedenken.	Hat eine tragische Färbung. Ernster Seelenkampf zwischen dem Streben nach Läuterung und finsteren Anfechtungen. Bisweilen Ausdruck von etwas Schmerzlich-Verklärtem, unter Tränen Lachendem.
c-moll	Die geeignete Tonart zum vollendeten Ausdruck eines bestimmten höheren Gefühls. Liebeserklärung und zugleich die Klage einer unglücklichen Liebe. In ihrer Klarheit ist sie ein sehnsuchtsvoller Ausdruck der höheren, heiligen Liebe.	Die am festesten auf dem Boden, am stärksten auf der Erde stehende Tonart. Sie spricht die Tragik des Irdischen aus, doch kämpft sich auch aus der Nacht des Irdischen zum Lichte hindurch.

f-moll

Drückt eine unaussprechliche, tiefe Schwermut aus. Leichenklage, Jammergeächz und grabverlangende Sehnsuch sind sein vornehmster Charakter.

Trägt den stärksten Mollcharakter in sich und führt zur dichtesten Finsternis. Tonart des Todesschattens und der finsteren Leidenschaft.

b-moll

Ein Sonderling, mehrenteils in das Gewand der Nacht gehüllt. Immer etwas mürrisch und entzweit mit Allen und Allem. Mißvergnügen mit sich selbst. Finstere, schwermutsvolle Melancholie.

Die Tonart des Sterbens und der Bitternis des Todesstachels. In ihr drücken sich auch Gedanken an einen geliebten Hingeschiedenen aus.

es-moll

Empfindungen der Bangigkeit, der allertiefsten Seelenbedrängnis und der hinbrütenden Verzweiflung. Das Zagen des schaudernden Herzens atmet aus den gräßlichen Klängen dieser Tonart.

Tonart des Schwellenüberganges von der Sinneswelt in die geistige Welt. Das Wanken der Seele bei dem Hinübergehen über die Schwelle.

gis-moll

Ein Griesgram, ein bis zum Ersticken gepreßtes Herz. Alles was nur sehr mühsam durchdringt, ist die Farbe dieser Tonart.

Tonart des Scheidens vom Tageslicht und vom Lebenslicht. Schmerzlichste Abschiedsstimmung.

cis-moll

Bußklage, trauliche Unterredung mit Gott, dem Freunde oder der Gespielin des Lebens. Seufzer der unbefriedlichen Freundschaft und Liebe liegen in dem Bereiche der Tonart.

Hat etwas von der leuchtenden Schönheit und Wärme von E-dur, nur ist alles mehr in ein Element der Schwermut und Sehnsucht getaucht.

fis-moll

Ein finsterer Ton, der sich an der Leidenschaft festbeißt. Groll und Mißvergnügen sind seine Sprache. Wehmut gesellt sich da zu dem bittersten Schmerz, und die Klage wird zur heftigsten Seelenerschütterung.

Tiefster Abgrund, tiefste Absturzgefahr. Ein wahrer Seelensturm, wie ein Hineingerissenwerden in bis dahin noch ungeahnte Abgründe seelischen Erlebens. Ein Aufgewühltwerden bis in die tiefsten Seelengründe hinein.

h-moll

Hinsichtlich des psychischen Ausdrucks eine der hervorstechendsten Tonarten. Es ist der Ton der Geduld, der stillen Erwartung des Schicksals und der Ergebung in den göttlichen Willen. Besonders geeignet zu langsamen, feierlichen, sanften Tonstücken.

Ausdruck des menschlichen Falles, der menschlichen Sündenschuld. Zugleich ein Sicherhebenwollen aus dem Abgrund. Besondere Innigkeit und christliche Hingebung.

e-moll

Ein Ringen mit den wechselvollen Verhältnissen, die nur schwer Ruhe gestatten. Die Klage des Mitgefühls und ein Jammern über den Mangel an Kraft.

Eine Tonart, die vor allem ein Ausdruck der Klage ist. Andererseits kann sie sich zum Erhabenen steigern. Zuweilen offenbart sich etwas wie Kälte.

Wer diese neben einander stehenden Aussagen über die Molltonarten mit einigem Verständnis vergleicht, wird einen hohen Grad der Übereinstimmung bemerken. Es braucht wohl nicht betont zu werden, daß keinen der beiden Autoren eine scharf umgrenzte, geschweige denn eine festliegende Umschreibung der zugrundeliegenden Gefühlswerte vor Augen stand. Das würde gegen die schöpferische Freiheit des Künstlers verstoßen. Denn gleich einem Maler, der, je nach der Art seiner Darstellung, intuitiv dunklere oder hellere Farben auf die Leinwand bringt, und diese wiederum mit dünneren oder dickeren Pinselstrichen nuanciert, so kann ein Komponist sich bei einem ihm vorschwebenden Werk zu einer bestimmten Tonart hingezogen fühlen. Auch die Eigenpersönlichkeit des Künstlers spielt dabei eine Rolle: Bei manchen Komponisten tritt eine deutliche Vorliebe für gewisse Tonarten hervor.

In bezug auf die Molltonarten bemerkt Paul Mies bei Beethoven eine besondere Affinität zu c-moll. Bei Brahms liegt einigermaßen ein Nachdruck auf d-moll und h-moll. Es ist unbekannt, welche Gefühlswerte die beiden Komponisten den von ihnen bevorzugten Tonarten zugeschrieben haben, doch könnte diese Vorliebe irgendwie mit der Eigenart ihres Charakters zusammenhängen.

Ergänzend sei darauf hingewiesen, daß in der Verwendung der Tonarten gewiß noch eine zukünftige Entwicklung möglich ist. So wie A. B. Marx der Meinung war, daß es in seiner Zeit noch keine „idealen" Kompositionen in E-dur gäbe (vgl. S. 11), ist es auch denkbar, daß in der heutigen Zeit die Tonarten, insofern die Komponisten sich wieder durch bestimmte Tonalitäten leiten lassen wollen, aufs neue einen wesentlichen Inhalt bekommen werden.

Zum Abschluß dieses Kapitels kommen wir noch einmal auf das Verhältnis zwischen Dur und Moll zurück. Nachdem eingangs die zwei Arten der Verwandtschaft zwischen den beiden Tongeschlechten skizziert wurden, kann sich die Frage erheben, ob es nicht noch eine dritte Art der Verwandtschaft gibt, im Sinne der von Hermann Beckh aufgezeigten Polaritäten. Das würde dann eine Spiegelbild-Verwandtschaft sein.

So wie sich die ersten sechs Tonarten des Quintenzirkels zu einem nach außen gerichteten Auf- und Niedergang zusammenschließen, und daraufhin die zweite Sechsergruppe sich nach innen zu intensiviert, bilden auch die Molltonarten einander ergänzende, bogenförmige Linien. Bei der Frage, in welche Richtung sich diese bewegen, kann Goethe uns ein Wegweiser sein. Er spricht, wie wir im vorigen Kapitel sahen, in bezug auf die Durtonarten von einer sich ausdehnenden Monade, und bei den Molltonarten von einer Zusammenziehung der Monade. Das deutet auf eine spiegelbildliche Wirkung hin. Wie ist das visuell sichtbar zu machen?

Betrachten wir noch einmal den Bogen der Durtonarten von C bis Fis. Die „Ausdehnung“ im goetheschen Sinne fängt dann bei C an und findet ihre Kulmination im A-dur:

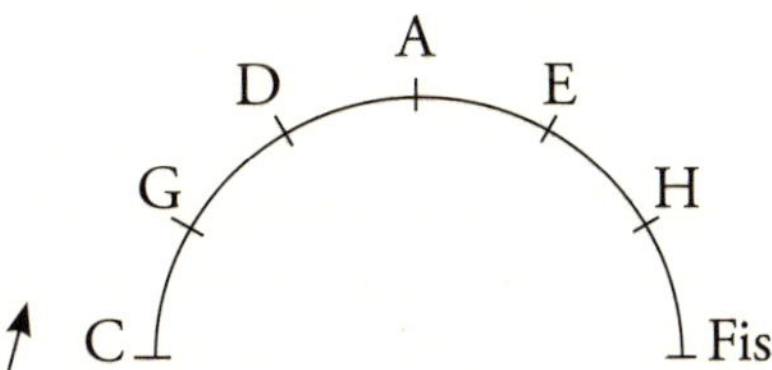

Diese „Ausdehnung“ der Tonarten äußert sich in der Notenschrift durch die graduelle Zunahme ihrer Erhöhungszeichen.

Als ein sinngemäßes Spiegelbild des Dur-Bogens finden wir nun für die Molltonarten einen an der gegenüberliegenden Seite anfangenden Bogen, wobei nicht die Kreuze, sondern die Erniedrigungszeichen bestimmend sind. Sie versinnbildlichen gewissermaßen die von Goethe angedeutete Zusammenziehung. So entsteht ein Bogen des Mollgeschlechtes, der von a-moll ausgeht und, wie Hermann Beckh dargelegt hat, seine größte Kraft im c-moll erreicht:

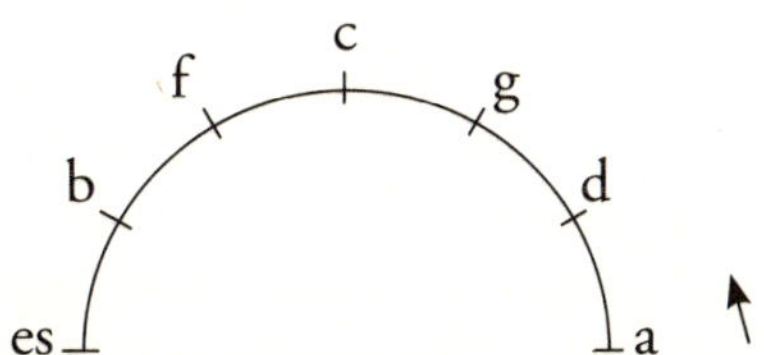

Diese beiden spiegelbildlichen Reihen begegnen sich bei Fis-dur und es-moll, zwei Tonarten, die auf den ersten Blick keine Verbindung mit einander haben. Ihre Beziehung wird erst sichtbar, wenn wir sowohl den Dur- wie den Moll-Bogen mit den übrigen Tonarten ergänzen, nun aber nicht im Sinne eines Quintenzirkels, sondern zweier Wellenlinien, die zusammen eine Art Lemniskate bilden. Wo die beiden Linien sich begegnen, entsteht ein bedeutsamer Grenzpunkt, den man als die Schwelle bezeichnen darf. Die Dur-Reihe setzt sich bei Fis als Ges fort, und die Moll-Reihe bei es als dis

♈ ♉ ♊ ♋ ♌ ♍ ♎ ♏ ♐ ♑ ♒ ♓ ♈

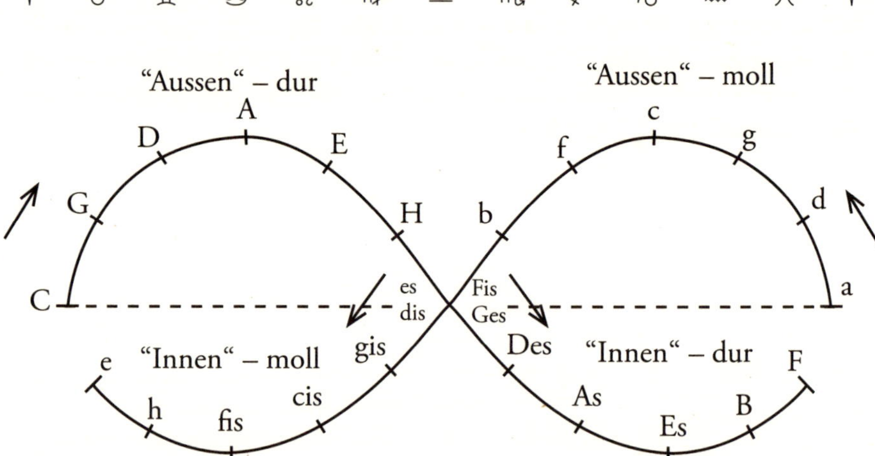

Betrachten wir diese Zeichnung etwas näher. Oberhalb der imaginären horizontalen Achse C – es/dis – Fis/Ges – a befinden sich nun die mehr nach außen gerichteten Durtonarten G, D, A, E, H und die Molltonarten d, g, c, f, b. Jenseits der Schwelle wandeln sich die beiden spiegelbildlichen Bögen in die unteren Durtonarten Des, As, Es, B, F und die Molltonarten gis, cis, fis, h, e. Sie sind ihrem Charakter nach mehr dem Inneren zugewandt.

Noch ein zweites Element kann in dem gewonnenen Bild sichtbar werden: In der rechten Hälfte walten die Tonarten mit den Erniedrigungszeichen, an der linken Seite haben die Kreuztonarten ihren Wirkungsbereich. Nachdem im zweiten Kapitel dargelegt wurde, daß die Kreuztonarten mit dem objektiven Erleben der Außenwelt zusammenhängen, so stellt sich nun ergänzend heraus, daß diese Aussage nur für die Kreuztonarten in Dur ihre Berechtigung hat. Die Kreuztonarten in Moll gehören dem Innenbereich an. Für die Tonarten mit Erniedrigungszeichen, in der rechten Hälfte, gilt das umgekehrte. Hier sind die Molltonarten nach außen gerichtet, und die Durtonarten nach innen.

Wenn wir nun auch noch die Wirkungen der Tierkreiskräfte mit in Betracht ziehen, so steht uns vor Augen, wie die zwölf Dur- und zwölf Molltonarten, als Abbild eines kosmischen Reigens, sich fortwährend abwechseln und einander beeinflussen, in jeweils sich ausdehnenden und zusammenziehenden Bewegungen.

Anmerkungen
(Vollständige Buchtitel in dem Literaturverzeichnis)

[1] Übersetzt aus: H. Brandts Buys, *Het Wohltemperirte Clavier van Johann Sebastian Bach.*

[2] A. B. Marx, *Gluck und die Oper.* 2. Teil, S. 359-369. Die Notenbeispiele und Anmerkungen sind von Clemens von Gleich hinzugefügt worden.

[3] Mozart schrieb acht Symphonien in C-dur. Vermutlich meint Marx nicht K. V. 425 und 551, eher etwa K. V. 338 oder eine noch frühere Symphonie.

[4] Zu denken ist an die Klaviersonaten Op. 14/2, 31/1, 49/2, 79 und an die Violinsonaten Op. 30/3 und96.

[5] Gemeint ist die Symphonie *Wellingtons Sieg oder die Schlacht bei Vittoria* (Op. 91).

[6] Marx deutet auf den unerwarteten, *fff* gespielten Des-dur-Akkord hin, kurz vor dem Ende des ersten Satzes dieser Symphonie.

[7] Anfang der 6. Symphonie.

[8] Andreas Werckmeister, *Musicalische Temperatur, oder deutlicher und warer mathematischer Unterricht, wie man... ein Clavier... wol temperirt stimmen könne...* Frankfurt und Leipzig 1691.

[9] G. Schilling, *Versuch einer Philosophie des Schönen*, S. 446.

[10] Siehe Rudolf Steiner, *Die Schwelle der geistigen Welt*, Berlin 1913 (GA 17), sowie Gideon Spicker, *Am Wendepunkt der christlichen Weltperiode* (1910, S. 30), zitiert von Rudolf Steiner in *Von Seelenrätseln* (1917, GA 21).

[11] H. Beckh, *Die Sprache der Tonart*, S. 59ff.

[12] G. Schilling, *Versuch*, S 455.

[13] R. Hennig, *Die Charakteristik der Tonarten.*

[14] Rudolf Steiner sprach 1912 erstmals über das Schauen der Mitternachtssonne in seinem Vortragszyklus *Die geistigen Wesenheiten in den Himmelskörpern und Naturreichen* (GA 136).

[15] Über andere Titel und die nach 1950 erschienene Literatur, die S. von Gleich nicht mehr berücksichtigen konnte, orientiert das Literaturverzeichnis.

[16] Insbesondere ist auf die umfangreiche Studie von Friedrich Oberkogler, *Tierkreis- und Planetenkräfte in der Musik*, hinzuweisen, in welcher das Werk Beckhs gewürdigt wird.

[17] H. Riemann, *Katechismus der Fugen-Komposition*, I. Teil, S. 156.

[18] Brief an Christian Heinrich Schlosser vom 5. Mai 1815 (*Goethes Werke*, IV. Abteilung, 25. Band, Weimar 1901, S. 310).

[19] H. Stephani, *Der Charakter der Tonarten*, S. 131.

[20] G. Schilling, *Versuch*, S. 448.

[21] J. Mattheson, *Das neu-eröffnete Orchestre*, S. 241.

[22] Seine *Ideen zu einer Ästhetik der Tonkunst* entstanden 1784 und wurden posthum von seinem Sohn L. Schubart herausgegeben (1806).

Literaturverzeichnis

Auhagen, Wolfgang: Studien zur Tonartencharakteristik in theoretischen Schriften und Kompositionen vom späten 17. bis zum Beginn des 20. Jahrhunderts. – Dissertation Frankfurt a. M., 1983.

Beckh, Hermann: Das geistige Wesen der Tonarten. Versuch einer neuen Betrachtung musikalischer Probleme im Lichte der Geisteswissenschaft. – Breslau, 1923.

–, Die Sprache der Tonart in der Musik von Bach bis Bruckner mit besonderer Berücksichtigung des Wagner'schen Musikdramas. – Stuttgart, 1937.

Brandts Buys, Hans: Het Wohltemperirte Clavier van Johann Sebastian Bach. – 3. Aufl. Arnhem, 1955.

Carrière, P.: Zur Charakteristik der Tonarten. In: Allgemeine Musikzeitung, 57. Jg. (1930), S. 53.

Das Charakteristische der Tonarten betreffend. In: Allgemeine Musikalische Zeitung, 27. Jg. (1825), S. 221.

Corrodi, Hans: Zur Charakteristik der Tonarten. In: Schweizerische Musikzeitung, 31. Jan. 1925.

Dommer, Arrey von: Musikalisches Lexicon. – Heidelberg, 1865. (Stichwort: Tonart, V).

Dubitzky, F.: Der Charakter der Tonarten bei Wagner. In: Die Musik, 12. Jg. (1913), S. 158.

Gathy, A.: Musikalisches Conversations-Lexicon. – 3. Aufl. Berlin, 1873. (Stichwort: Charakteristik der Tonarten).

Gürsching-Pfingsten, Ingeborg: Dur und Moll als musikalische Ausdrucksmittel. In: Musica, 38. Jg. (1984), S. 121.

Hand, Ferdinand: Ästhetik der Tonkunst. I. Theil. – 2. Aufl. Leipzig, 1847 (S. 209ff).

Hennig, Richard: Die Charakteristik der Tonarten. Historisch, kritisch und statistisch untersucht vom psycho-physiologischen und musikalischen Standpunkt aus. – Berlin, 1897.

E.T.A. Hoffmann's musikalische Schriften, herausgegeben von E. vom Ende. – Köln und Leipzig, o.J. (S. 163ff).

Kelletat, Herbert: Zur musikalischen Temperatur. Band II: Wiener Klasik. – Berlin und Kassel, 1982.

Lange, Anny von: Mensch, Musik und Kosmos. Anregungen zu einer goetheanistischen Tonlehre. I. Band. – Freiburg, 1956.

Lüthy, Werner: Mozart und die Tonarten-Charakteristik. – Straßburg, 1931. Neuausgabe Baden-Baden, 1974.

Marx, Adolf Bernhard: Gluck und die Oper. Zweiter Theil. Anhang: Über den Karakter der Tonarten. – Berlin, 1963.

Mattheson, Johann: Das neu-eröffnete Orchestre. – Hamburg, 1713. (S. 231ff).

Mendel, H.: Musikalisches Conversations-Lexicon. – Berlin, 1872. (2. Band, Stichwort: Charakter der Tonarten).

Mies, Paul: Der Charakter der Tonarten. Eine Untersuchung. – Köln und Krefeld, 1948.

Moser, Hans Joachim: Goethe und die musikalische Akustik. In: Festschrift R. Von Liliencron. – Leipzig, 1910, S. 145.

–, Goethe und die Musik. Leipzig, 1948.

–, Musiklexikon. – Hamburg, 1955, (2. Band, Stichwort: Tonartencharakteristik).

Oberkogler, Friedrich: Tierkreis- und Planetenkräfte in der Musik. Vom Geistgehalt der Tonarten. – Schaffhausen, 1987.

Raudnitz, L.: Die Musik als Heilmittel. – Prag, 1840 (S. 25 ff).

Ravizza, Victor: Brahms' Musik in tonartencharakteristischer Sicht. In: Brahms-Analysen. – Kassel, 1984 (Kieler Schriften zur Musikwissenschaft XXVIII).

Reissmann, August: Lehrbuch der musikalischen Komposition. – Berlin 1866, (2. Band, S. 21).

Rieger, Erwin: Die Tonartencharakteristik im einstimmigen Klavierlied von Johannes Brahms. In: Studien zur Musikwissenschaft, Band 22 (1955), S. 142.

Riemann, Hugo: Handbuch der Fugen-Komposition (Analyse von J. S. Bachs „Wohltemperierten Klavier"). – 3. Aufl. Leipzig, 1914.

–, Katechismus der Fugen-Komposition. – Leipzig, 1890. (I. Teil, S. 156).

–, Musik-Lexikon. – 1. Aufl. 1882 bis 10. Aufl. 1922. (Stichwort: Charakter der Tonarten).

Schilling, Gustav: Versuch einer Philosophie des Schönen in der Musik. – Mainz, 1838. (2. Band, S. 437ff).

Schneider, Peter Joseph: Die Musik und die Poesie (System einer medizinischen Musik). – Bonn, 1835. (1. Band, S. 284ff).

Schubart, Chr. Fr. Daniel: Ideen zu einer Ästhetik der Tonkunst. – Wien, 1806. (S. 377ff).

Schuberth, J.: Musikalisches Conversations-Lexicon. – 10. Aufl. Leipzig, 1877. (Stichwort: Charakter).

Stephani, Hermann: Der Charakter der Tonarten. – Regensburg, 1923.

–, Der Stimmungscharakter der Tonarten. In: Die Musik, 4. Jg. Nr. 3 (1905).

Stradner, Gerhard: Stimmtonhöhe, Tonarten- und Klangcharakter. In: Die Klangwelt Mozarts, hrsg. Von G. Stradner. – Wien, 1991.

Wagner, J. J.: Ideen über Musik. In: Allgemeine Musikalische Zeitung, 25. Jg. (1823), S. 703 und 713.

Wolf, William: Musikästhetik. – Stuttgart, 1895.

Wustmann, R.: Tonarten-Symbolik zu Bachs Zeit. In: Bach-Jahrbuch 1911, S. 60.

Zeitschrift für Musik. (In dieser erschien eine Reihe von Artikeln über die Tonarten-Charakteristik).

94. Jg. (1927): P. Mies (S. 35), M. Unger (S. 81, 623), A. Wellek (S. 267), H. Ambrosius (S. 334), E. Tetzel (S. 414), W. Schwarz (S. 415), E. Klocke (S. 498).

95. Jg. (1928): A. Heuss (S. 82).

Werke von S. v. Gleich im Mellinger Verlag

Marksteine der Kulturgeschichte
4 Teile jetzt in einem Band
I. Babylonien und Ägypten
II. Syrien, Saba und Phönizien
III. Hellas und Kleinasien
IV. Mysterien-Dämmerung und Christus-Erscheinung
3. Auflage, 464 Seiten, 14 Diagramme, 1 Karte, geb.
ISBN 3-88069-102-9

Die Wahrheit als Gesamtumfang aller Weltansichten
2. durch ein kombiniertes Namen- und Literaturverzeichnis ergänzte Auflage. 328 Seiten, geb.
ISBN 3-88069-242-4

Von Thales bis Steiner –
eine Lebensgeschichte des Denkens mit einer Betrachtung über das Ich
168 Seiten, kart.
ISBN 3-88069-126-6

Der Mensch der Eiszeit und Atlantis –
mit besonderer Berücksichtigung der Urgeschichte der Mongolen, Abessinier und Basken
3. Auflage, 204 Seiten, 15 Diagramme kart.
ISBN 3-88069-027-8

Werke von S. v. Gleich im Mellinger Verlag

Geisteswissenschaft, Kunstoffenbarung und religiöse Lebensanschauung
In ihrer Dreieinigkeit philosophisch-an troposophisch entwickelt aus dem Menschenwesen und Ideenkosmos.
152 Seiten, 7 Diagramme, kartoniert
ISBN 3-88069-117-7

Inspirationsquellen der Antroposophie
mit einem Lebenslauf des Autors
50 Seiten, 1 Bild des Autors, kart.
ISBN 3-88069-087-1

Geisteswissenschaftliche Entwicklungslinien im Hinblick auf den „Impuls von Gondi-Schapur“
48 Seiten, 1 Karte kartoniert
ISBN 3-88069-030-8

7000 Jahre Urgeschichte der Menschheit
3. Auflage, 40 Seiten, kartoniert
ISBN 3-88069-031-6

Die Umwandlung des Bösen
3. Auflage, 32 Seiten, kartoniert
ISBN 3-88069-035-9